D0582238

# TOTO AROMA
## uitvinder van de pizza

Roberto Piumini

met illustraties van Cecco Mariniello



...tutti

In de tijd van de Bourbon-koningen woonde er in Napels een uitzonderlijke kok. Hij heette Antonio Gimbellino, maar iedereen noemde hem Toto Aroma.

*Al tempo dei re Borboni, c'era a Napoli un cuoco eccezionale che si chiamava Antonio Gimbellino, ma tutti lo chiamavano Totò Sapore:*

Hij kookte zo verrukkelijk dat hij naar het hof werd gehaald en tot chef-kok werd benoemd in de keuken van het koninklijk paleis. Het beroemdst waren zijn pasta's en zijn taarten, maar Toto Aroma was in alles wat hij maakte alle koks van heel Zuid-Italië de baas.

*i suoi piatti erano così deliziosi che fu preso a corte, e nella cucina del palazzo reale nessuno contava più di lui. Famose erano le sue pastasciutte e le sue torte, ma in ogni tipo di cibo cucinato Totò Sapore superava i cuochi dell'intera Italia Meridionale.*

De Bourbon-koning nodigde doorlopend prinsen en nobele vreemdelingen uit in Napels om hen van de lekkernijen te laten proeven.
En dankzij die heerlijke maaltijden deed de koning heel goede zaken en sloot hij gunstige verdragen af.

*Per far gustare i suoi manicaretti, i re Borboni invitavano continuamente a Napoli principi e nobili stranieri, e per merito di quelle portate sopraffine riuscivano a far con loro trattati e affari molto vantaggiosi.*

Maar op een dag vond de hertog van Bourgogne, een beschermeling van de koning van Frankrijk en een zeer hooggeëerde gast, een haar in de hertenragout.

*Un giorno il duca di Borgogna, protetto del re di Francia e ospite di gran riguardo, trovò però un capello nello stufato di cervo,*

Dit gerecht was door Toto Aroma persoonlijk klaargemaakt. Om de Bourbonse eer van de koning te redden, werd de kok zonder pardon in de gevangenis gegooid.

Hij werd in een heel grote cel gezet, met een groot fornuis, een oven, pannen, een meelkist en planken vol met alles wat de aarde voortbrengt. Zo kon hij doorgaan met koken voor de koning en zijn hofhouding.

*e poiché quella era una pietanza preparata direttamente da Totò Sapore, per salvare la dignità borbonica il cuoco fu fatto imprigionare.*
*Lo misero però in una cella molto grande, con forno e fornelli, con pentole e madia e scaffali pieni di ogni ben di dio, con i quali egli continuava a cucinare per il re e per la corte.*

De gevangenis was weliswaar bijzonder, maar bleef een gevangenis en na een tijdje wilde Toto Aroma zijn vrijheid terug. Hij bakte een taart die zó zwaar op de maag lag dat hierdoor zelfs een paard in slaap zou vallen, maar die tegelijk zó lekker was dat niemand hem kon weigeren. En jawel, de gevangenbewaarders die hij van deze zware zoetigheid liet proeven hadden nog maar nauwelijks een grote hap gulzig doorgeslikt of ze stortten zo van hun stoelen op de grond. Toto ging ervandoor en ontsnapte via de steegjes van de stad.

*La prigionia era speciale, ma sempre prigionia, e a Totò Sapore dopo qualche tempo venne voglia di libertà. Cucinò allora una torta così indigesta che avrebbe fatto addormentare un cavallo, ma così buona che nessuno l'avrebbe rifiutata. Infatti i carcerieri, ai quali aveva fatto assaggiare quel dolce portentoso, avevano appena inghiottito un boccone con grande godimento che crollarono seduti sul pavimento, e Totò poté scappare per i vicoli della città.*

Eén week lang kon hij zich verstoppen, terwijl hij tot grote tevredenheid van familie en vrienden voor hen kookte. Maar op een dag liep een markies van het paleis met zijn soldaten door de straten. Hij rook zo'n uitnodigende geur van gebraden vlees dat hij wist dat het door niemand anders kon zijn bereid dan door Toto Aroma. 'Kom dan, pak me dan', leek de geur te zeggen.

*Restò nascosto per una settimana, cucinando in casa di parenti e di amici, con gran loro contentezza, ma un giorno un marchese di corte che passava sulla strada con i suoi soldati sentì un profumo di arrosto così invitante che non poteva esser fatto da altri che Totò Sapore: arriva arriva, scappa e piglia,*

Toto werd opgepakt en ditmaal opgesloten in een hoge toren met een keuken, zonder gevangenbewaarders die door zijn eten en trucjes in verleiding gebracht zouden kunnen worden. Het hof, dat in de week na de verdwijning van Toto had besloten om te vasten en boete te doen, liet zich natuurlijk weer zoals tevoren de heerlijkste maaltijden bereiden. Twee keer per dag werden de gerechten met touwen en katrollen vanuit de toren neergelaten. Maar voor Toto waren er geen touwen en katrollen en de gevangenschap viel hem nog zwaarder dan de eerste keer.

*Totò fu catturato e rinchiuso in un'alta torre-cucina, senza guardiani che avrebbero potuto mangiare i suoi cibi e digerire i suoi trucchi. La corte, che nella settimana dopo l'evasione di Totò Sapore aveva deciso di far digiuno e penitenza, si faceva naturalmente cucinare i pasti come prima, e le portate venivano calate due volte al giorno dalla torre con corde e carrucole. Ma per Totò corde e carrucole non ce n'erano, e la prigionia gli pesava più di prima.*

Op een nacht kookte hij een grote pan spaghetti zo perfect gaar dat ze zacht én stevig was geworden, soepel én compact, precies zoals de fijnproevers het willen.
Vervolgens nam hij deze goed gekookte spaghetti uit de pan en vlocht daarvan een koord, helemaal van de hoge toren tot de grond.

*Una notte fece cuocere un pentolone di spaghetti talmente a puntino che diventarono morbidi e resistenti, flessibili e compatti, proprio come li vogliono i buongustai. Prese poi gli spaghetti così ben cotti e intrecciò una corda dall'alto della torre fino al suolo.*

Hij liet het koord en zichzelf door de opening zakken waarlangs eerder de gebraden speenvarkens hun weg hadden gevonden. Toen klom hij naar beneden en vluchtte opnieuw door de steegjes van de stad.

Deze keer kon hij zich twee weken verborgen houden, maar toen verraadde de geur van een peperonata* hem: 'Kom dan, pak me dan.'

* *Peperonata is een gerecht van gestoofde paprika's, uien en tomaten.*

*Passò la corda e se stesso fuori da un'apertura dove faceva passare le porchette arrosto, e si calò fino a terra. fuggendo di nuovo nei vicoli della città.*

*Questa volta restò nascosto per due settimane, ma poi il profumo di una peperonata lo tradì: arriva arriva, scappa e piglia,*

Weer werd Toto opgepakt. Nu sloten ze hem op in een keuken in de kelder, zonder gevangenbewaarders en zonder ramen. Lucht kwam er alleen door een schoorsteen die te nauw was om door naar boven te klimmen, en hij werd bovendien bewaakt door een rottweiler.
Hieruit kon hij met geen mogelijkheid ontsnappen, maar Toto Aroma wilde daarbeneden niet de rest van zijn levensdagen slijten vanwege die ene haar. Hij besloot gratie te vragen, of de dood.

*Totò fu ripreso e chiuso in una cucina sotterranea, senza carcerieri e senza finestre, che prendeva aria solo dal camino troppo stretto per passarci e comunque sorvegliato da un cane mastino.*
*Scappare proprio non si poteva, ma Totò Sapore non voleva finire la sua vita laggiù per un capello e pensò di chiedere grazia o morte.*

Daarom schreef hij het hof een brief. Deze luidde als volgt:

*'Ik vraag uwe heren mij een proef toe te staan. Als het mij lukt, in minder tijd dan nodig is voor een pasta, een gerecht te bereiden dat noch een voorgerecht is noch een hoofdgerecht, noch vlees, noch vis, met de kleuren van de aarde en de zee, van de vrede en van de oorlog, warm als de hel, geurig als het paradijs, rond als de wereld en moeilijker te vergeten dan een belediging, en deze maaltijd bovendien de honderd meest kieskeurige edelen van het hof méér zal bevallen dan enig ander voedsel, geef mij dan mijn vrijheid terug. Als ik daarin niet slaag, onthoofd mij dan want ik wil niet in deze kelder eindigen als een beschimmelde kaas.'*

De koning en de edelen aan het hof lazen dit bericht, verkneukelden zich bij het vooruitzicht en accepteerden de weddenschap.

*Perciò scrisse una lettera alla corte che diceva così:*

"Domando alle signorie vostre di concedermi una prova. Se riuscirò a cucinare, in meno tempo che per fare la pastasciutta, un piatto che non sia né primo né secondo, né carne né pesce, dei colori della terra e del mare, della pace e della guerra, caldo come inferno, profumato come paradiso, tondo come il mondo e difficile da dimenticare più di una offesa, e se questo piatto piacerà più di ogni altro cibo a cento nobili della corte tra i più schizzinosi, mi sia data la libertà. Se così non avviene mi sia tolta la testa, che non la voglio far muffire qui in cantina come un formaggio".

*Il re e la corte lessero quel messaggio, si divertirono alla promessa, e accettarono.*

De zondag daarop kreeg Toto Aroma de ingrediënten waarom hij gevraagd had. Meteen begon hij te koken en in minder dan tien minuten kwamen er vijf dampende borden uit de keuken. De koning, de koningin en de drie prinsjes aten met zoveel smaak dat ze zelfs geen antwoord gaven op de nieuwsgierige vragen van de honderd hovelingen. Binnen een uur had iedereen een dampend bord voor zich en zaten ze allemaal te eten.

*La domenica dopo, Totò Sapore fu fornito di quel che chiedeva, e fu lasciato cucinare. Dopo nemmeno dieci minuti furono serviti al re, alla regina e ai tre principini cinque piatti fumanti: i sovrani mangiavan così di gusto che non rispondevano nemmeno alle domande insistenti dei cento cortigiani. In meno di un'ora furono portati i piatti fumanti a tutti e tutti mangiarono.*

Hierna kwam Toto Aroma uit de keuken tevoorschijn. Hij veegde zijn handen af aan een theedoek en zei: 'Mijne edele heren, hier ben ik. Zeg mij of ik vanaf vandaag weer in alle vrijheid kan gaan wandelen, of dat u mij in één slag van mijn hoofd en die gedachte berooft.'
Allen lachten en applaudisseerden en de koning sprak: 'Toto Aroma, jij hebt je belofte gehouden, want niemand hier beklaagt zich over je gerecht.

Nee integendeel, wij vragen je, nu je een vrij man bent, of je er nog een voor ons kunt maken.'
Dus maakte Toto, die in zijn mond al de smaak van de vrijheid proefde en zich net zo vrijgevig voelde als San Gennaro*, een grote buiging...

*Poi Totò Sapore venne fuori pulendosi le mani con uno straccio e così parlò: "Miei signori, son qui: ditemi se da oggi potrò andarmene a spasso con una testa libera, o se invece mi libererete in un sol colpo della testa e del pensiero".*
*Tutti risero ed applaudirono, e il re disse: "Totò Sapore, hai mantenuto la promessa. Nessuno qui si è lamentato del tuo piatto, e anzi ti chiederemmo, dato che ora sei un uomo libero, di farcene un altro".*
*Allora Totò, che sentiva già in bocca il sapore della libertà e si sentiva generoso come san Gennaro, fece un grande inchino*

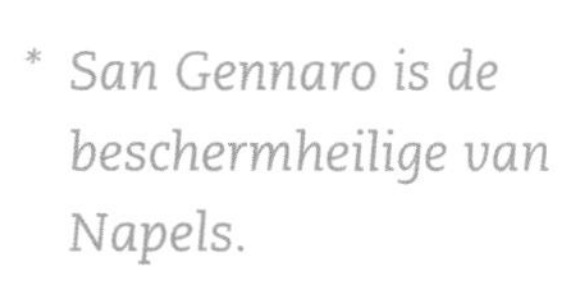

* *San Gennaro is de beschermheilige van Napels.*

en keerde terug naar de keuken om nog honderd Napolitaanse pizza's te maken.

*e tornò in cucina a preparare le altre cento pizze napoletane.*

*Wat was nu precies het allereerste recept van de pizza? Dat is moeilijk te achterhalen. Je hebt pizza's met een dunne bodem of een wat dikkere, gebakken in een houtoven of een elektrische oven, en ga zo maar door. Iedere pizzeria heeft z'n eigen 'geheim'.*

*Hoe je thuis een lekkere pizza kunt bakken, die misschien wel lijkt op die van Toto Aroma, kun je zien in een filmpje op de website www.tutti.nl.*

Oorspronkelijke titel: *Il cuoco prigioniero*

Nederlandse vertaling: Irma van Welzen
Grafische verzorging: Het vlakke land


ISBN 978 94 90139 02 5

Gedrukt en gebonden in Italië.

tutti streeft ernaar om verantwoord en duurzaam met milieu en natuurlijke hulpbronnen om te gaan. Hierbij is gelet op de minimalisatie van materiaal, afval en transport en is zoveel mogelijk gebruik gemaakt van milieuvriendelijke materialen. Het papier van dit boek (GardamattArt) is geproduceerd in een FSC-gecertificeerde fabriek. Daarbij is het zeker dat het hout, de belangrijkste grondstof voor het papier, afkomstig is uit speciaal daarvoor aangelegde bossen. Voor verdere informatie kun je terecht op www.duurzaamuitgeven.nl of op onze website www.tutti.nl. Daar kun je ook lezen wat er allemaal komt kijken bij het maken van het boek dat je nu in handen hebt.

Kijk ook op www.tutti.nl voor leuke achtergrondinformatie over Roberto Piumini en Cecco Mariniello.